旅ノート
47都道府県 ぜんぶ行ってみよう

旅のお供編集部

幻冬舎文庫

旅ノート
47都道府県
ぜんぶ行ってみよう

本文デザイン　児玉明子

自分の好きなペースで、
無理のない範囲で。

あなただけの旅の記録を、
このノートに綴ってください。

よい旅を。

M A P

1
2
3
4
5
6
7
8
9
10
11
12
13
14
15
16
17
18
19
20
21
22
23
24
25
26
27
28
29
30
31
32
33
34
35
36
37
38
39
40
41
42
43
44
45
46
47

□ 1 北海道
□ 2 青森県
□ 3 岩手県
□ 4 宮城県
□ 5 秋田県
□ 6 山形県
□ 7 福島県
□ 8 茨城県
□ 9 栃木県
□ 10 群馬県
□ 11 埼玉県
□ 12 千葉県

□ 13 東京都
□ 14 神奈川県
□ 15 新潟県
□ 16 富山県
□ 17 石川県
□ 18 福井県
□ 19 山梨県
□ 20 長野県
□ 21 岐阜県
□ 22 静岡県
□ 23 愛知県
□ 24 三重県

□ 25 滋賀県
□ 26 京都府
□ 27 大阪府
□ 28 兵庫県
□ 29 奈良県
□ 30 和歌山県
□ 31 鳥取県
□ 32 島根県
□ 33 岡山県
□ 34 広島県
□ 35 山口県
□ 36 徳島県

□ 37 香川県
□ 38 愛媛県
□ 39 高知県
□ 40 福岡県
□ 41 佐賀県
□ 42 長崎県
□ 43 熊本県
□ 44 大分県
□ 45 宮崎県
□ 46 鹿児島県
□ 47 沖縄県

旅の行程

1/47

神奈川

2023年 11月 22日～ 日

SAMPLE

AM

11時、鎌倉着

八幡様にお参り。
段葛をブラブラ。
おみやげの「クルミッ子」をゲット！
長谷の大仏へ。

PM

江ノ電に乗って、新江ノ島水族館へ。
江島神社にお参り。

江ノ島でアジのお刺身と
アジフライ。

行った場所

・八幡様
・大仏
・新江ノ島水族館
・江島神社

泊まった場所

・日帰り

食べたもの

・ソフトクリーム、コーヒー
・カレー
・アジ、ビール

買ったもの

・クルミッ子
・ポストカード

今回の旅で遣ったお金

交通費	東京⟷鎌倉	1890	円
宿泊費		0	円
現地交通費		800	円
	江ノ電1日乗車券「のりおりくん」		
食費	カレーセット	1400	円
	ソフトクリーム	350	円
	アジ定食＋ビール	2200	円
入場料	(水族館)	2500	円
	(大仏)	300	
おみやげ		2000	円
その他			円
			円
合計		11,440	円

一日乗車券
（江ノ島電鉄）
No.2798
ENODEN1DAYPASS"NORIORIKUN"
のりおりくん
Adult 大人 800円 yen
Child 小児 400円 yen
2023. 11. 22 限り有効
藤沢 Fujisawa
江ノ島 Enoshima
藤沢駅・鎌倉駅では、電車から一旦お降りになり乗車ホームより再度ご乗車ください。
アオウミガメ
2023/11/22
大人 ¥2,50
059059 12 :
23. 11. 22

旅の行程

/47

AM

PM

年

月

日

〜

日

行った場所

泊まった場所

食べたもの

買ったもの

今回の旅で遣ったお金

交通費	円
宿泊費	円
現地交通費	円
食費	円
	円
	円
入場料	円
おみやげ	円
その他	円
	円
合計	円

旅の行程

/47

AM

PM

年

月

日
〜

日

行った場所

泊まった場所

食べたもの

買ったもの

今回の旅で遣ったお金

交通費	円
宿泊費	円
現地交通費	円
食費	円
	円
	円
入場料	円
おみやげ	円
その他	円
	円
合計	円

旅の行程

/47

AM

PM

年

月

日～

日

行った場所

泊まった場所

食べたもの

買ったもの

今回の旅で遣ったお金

交通費	円
宿泊費	円
現地交通費	円
食費	円
	円
	円
入場料	円
おみやげ	円
その他	円
	円
合計	円

旅の行程

／47

AM

PM

年

月

日

〜

日

行った場所

泊まった場所

食べたもの

買ったもの

今回の旅で遣ったお金

交通費	円
宿泊費	円
現地交通費	円
食費	円
	円
	円
入場料	円
おみやげ	円
その他	円
	円
合計	円

旅の行程

/47

AM

PM

年
月
日
～
日

行った場所

泊まった場所

食べたもの

買ったもの

今回の旅で遣ったお金

交通費	円
宿泊費	円
現地交通費	円
食費	円
	円
	円
入場料	円
おみやげ	円
その他	円
	円
合計	円

旅の行程

／47

AM

PM

年　月　日～　日

行った場所

泊まった場所

食べたもの

買ったもの

今回の旅で遣ったお金

交通費	円
宿泊費	円
現地交通費	円
食費	円
	円
	円
入場料	円
おみやげ	円
その他	円
	円
合計	円

旅の行程

／47

AM

PM

年　月　日～　日

行った場所

泊まった場所

食べたもの

買ったもの

今回の旅で遣ったお金

交通費	円
宿泊費	円
現地交通費	円
食費	円
	円
	円
入場料	円
おみやげ	円
その他	円
	円
合計	円

旅の行程

／47

AM

PM

年　月　日～　日

行った場所

泊まった場所

食べたもの

買ったもの

今回の旅で遣ったお金

交通費	円
宿泊費	円
現地交通費	円
食費	円
	円
	円
入場料	円
おみやげ	円
その他	円
	円
合計	円

旅の行程

/47

AM

PM

年　月　日〜　日

行った場所

泊まった場所

食べたもの

買ったもの

今回の旅で遣ったお金

交通費	円
宿泊費	円
現地交通費	円
食費	円
	円
	円
入場料	円
おみやげ	円
その他	円
	円
合計	円

旅の行程

/47

AM

PM

年

月

日

～

日

行った場所

泊まった場所

食べたもの

買ったもの

今回の旅で遣ったお金

交通費	円
宿泊費	円
現地交通費	円
食費	円
	円
	円
入場料	円
おみやげ	円
その他	円
	円
合計	円

旅の行程

/47

AM

PM

年

月

日
〜
日

行った場所

泊まった場所

食べたもの

買ったもの

今回の旅で遣ったお金

交通費	円
宿泊費	円
現地交通費	円
食費	円
	円
	円
入場料	円
おみやげ	円
その他	円
	円
合計	円

旅の行程

/47

AM

PM

年　月　日〜　日

行った場所

泊まった場所

食べたもの

買ったもの

今回の旅で遣ったお金

交通費	円
宿泊費	円
現地交通費	円
食費	円
	円
	円
入場料	円
おみやげ	円
その他	円
	円
合計	円

旅の行程

/47

AM

PM

年　月　日〜　日

行った場所

泊まった場所

食べたもの

買ったもの

今回の旅で遣ったお金

交通費	円
宿泊費	円
現地交通費	円
食費	円
	円
	円
入場料	円
おみやげ	円
その他	円
	円
合計	円

旅の行程

/47

AM

PM

年

月

日

〜

日

行った場所

泊まった場所

食べたもの

買ったもの

今回の旅で遣ったお金

交通費	円
宿泊費	円
現地交通費	円
食費	円
	円
	円
入場料	円
おみやげ	円
その他	円
	円
合計	円

旅の行程

/47

AM

PM

年

月

日
〜

日

行った場所

泊まった場所

食べたもの

買ったもの

今回の旅で遣ったお金

交通費	円
宿泊費	円
現地交通費	円
食費	円
	円
	円
入場料	円
おみやげ	円
その他	円
	円
合計	円

旅の行程

／47

AM

PM

年

月

日
〜

日

行った場所

泊まった場所

食べたもの

買ったもの

今回の旅で遣ったお金

交通費	円
宿泊費	円
現地交通費	円
食費	円
	円
	円
入場料	円
おみやげ	円
その他	円
	円
合計	円

旅の行程

/47

AM

PM

年

月

日
〜

日

行った場所

泊まった場所

食べたもの

買ったもの

今回の旅で遣ったお金

交通費	円
宿泊費	円
現地交通費	円
食費	円
	円
	円
入場料	円
おみやげ	円
その他	円
	円
合計	円

旅の行程

/47

AM

PM

年 月 日〜 日

行った場所

泊まった場所

食べたもの

買ったもの

今回の旅で遣ったお金

交通費	円
宿泊費	円
現地交通費	円
食費	円
	円
	円
入場料	円
おみやげ	円
その他	円
	円
合計	円

旅の行程

/47

AM

PM

年

月

日〜

日

行った場所

泊まった場所

食べたもの

買ったもの

今回の旅で遣ったお金

交通費	円
宿泊費	円
現地交通費	円
食費	円
	円
	円
入場料	円
おみやげ	円
その他	円
	円
合計	円

旅の行程

/47

AM

PM

年

月

日
〜

日

行った場所

泊まった場所

食べたもの

買ったもの

今回の旅で遣ったお金

交通費	円
宿泊費	円
現地交通費	円
食費	円
	円
	円
入場料	円
おみやげ	円
その他	円
	円
合計	円

旅の行程

/47

AM

PM

年　月　日～　日

行った場所

泊まった場所

食べたもの

買ったもの

今回の旅で遣ったお金

交通費	円
宿泊費	円
現地交通費	円
食費	円
	円
	円
入場料	円
おみやげ	円
その他	円
	円
合計	円

旅の行程

/47

AM

PM

年

月

日

～

日

行った場所

泊まった場所

食べたもの

買ったもの

今回の旅で遣ったお金

交通費	円
宿泊費	円
現地交通費	円
食費	円
	円
	円
入場料	円
おみやげ	円
その他	円
	円
合計	円

旅の行程

/47

AM

PM

年　月　日〜　日

行った場所

泊まった場所

食べたもの

買ったもの

今回の旅で遣ったお金

交通費	円
宿泊費	円
現地交通費	円
食費	円
	円
	円
入場料	円
おみやげ	円
その他	円
	円
合計	円

旅の行程

/47

AM

PM

年

月

日

〜

日

行った場所

泊まった場所

食べたもの

買ったもの

今回の旅で遣ったお金

交通費	円
宿泊費	円
現地交通費	円
食費	円
	円
	円
入場料	円
おみやげ	円
その他	円
	円
合計	円

旅の行程

/47

AM

PM

年

月

日

～

日

行った場所

泊まった場所

食べたもの

買ったもの

今回の旅で遣ったお金

交通費	円
宿泊費	円
現地交通費	円
食費	円
	円
	円
入場料	円
おみやげ	円
その他	円
	円
合計	円

旅の行程

/47

AM

PM

年　月　日～　日

行った場所

泊まった場所

食べたもの

買ったもの

今回の旅で遣ったお金

交通費	円
宿泊費	円
現地交通費	円
食費	円
	円
	円
入場料	円
おみやげ	円
その他	円
	円
合計	円

旅の行程

/47

AM

PM

年

月

日

〜

日

行った場所

泊まった場所

食べたもの

買ったもの

今回の旅で遣ったお金

交通費	円
宿泊費	円
現地交通費	円
食費	円
	円
	円
入場料	円
おみやげ	円
その他	円
	円
合計	円

旅の行程

／47

AM

PM

年

月

日
～

日

行った場所

泊まった場所

食べたもの

買ったもの

今回の旅で遣ったお金

交通費	円
宿泊費	円
現地交通費	円
食費	円
	円
	円
入場料	円
おみやげ	円
その他	円
	円
合計	円

旅の行程

/47

AM

PM

年

月

日

〜

日

行った場所

泊まった場所

食べたもの

買ったもの

今回の旅で遣ったお金

交通費	円
宿泊費	円
現地交通費	円
食費	円
	円
	円
入場料	円
おみやげ	円
その他	円
	円
合計	円

旅の行程

/47

AM

PM

年
月
日
〜
日

行った場所

泊まった場所

食べたもの

買ったもの

今回の旅で遣ったお金

交通費	円
宿泊費	円
現地交通費	円
食費	円
	円
	円
入場料	円
おみやげ	円
その他	円
	円
合計	円

旅の行程

/47

AM

PM

年

月

日

～

日

行った場所

泊まった場所

食べたもの

買ったもの

今回の旅で遣ったお金

交通費	円
宿泊費	円
現地交通費	円

食費	円
	円
	円

入場料	円
おみやげ	円
その他	円
	円

合計	円

旅の行程

/47

AM

PM

年

月

日
～

日

行った場所

泊まった場所

食べたもの

買ったもの

今回の旅で遣ったお金

交通費　円

宿泊費　円

現地交通費　円

食費　円

円

円

入場料　円

おみやげ　円

その他　円

円

合計　円

旅の行程

/47

AM

PM

年

月

日〜

日

行った場所

泊まった場所

食べたもの

買ったもの

今回の旅で遣ったお金

交通費	円
宿泊費	円
現地交通費	円

食費	円
	円
	円

入場料	円
おみやげ	円
その他	円
	円

合計	円

旅の行程

/47

AM

PM

年
月
日
〜
日

行った場所

泊まった場所

食べたもの

買ったもの

今回の旅で遣ったお金

交通費	円
宿泊費	円
現地交通費	円
食費	円
	円
	円
入場料	円
おみやげ	円
その他	円
	円
合計	円

旅の行程

/47

AM

PM

年

月

日
〜

日

行った場所

泊まった場所

食べたもの

買ったもの

今回の旅で遣ったお金

交通費	円
宿泊費	円
現地交通費	円
食費	円
	円
	円
入場料	円
おみやげ	円
その他	円
	円
合計	円

旅の行程

／47

AM

PM

年　月　日〜　日

行った場所

泊まった場所

食べたもの

買ったもの

今回の旅で遣ったお金

交通費	円
宿泊費	円
現地交通費	円
食費	円
	円
	円
入場料	円
おみやげ	円
その他	円
	円
合計	円

旅の行程

/47

AM

PM

年 月 日 ～ 日

行った場所

泊まった場所

食べたもの

買ったもの

今回の旅で遣ったお金

交通費	円
宿泊費	円
現地交通費	円
食費	円
	円
	円
入場料	円
おみやげ	円
その他	円
	円
合計	円

旅の行程

/47

AM

PM

年
月
日
～
日

行った場所

泊まった場所

食べたもの

買ったもの

今回の旅で遣ったお金

交通費	円
宿泊費	円
現地交通費	円
食費	円
	円
	円
入場料	円
おみやげ	円
その他	円
	円
合計	円

旅の行程

/47

AM

PM

年
月
日〜
日

行った場所

泊まった場所

食べたもの

買ったもの

今回の旅で遣ったお金

交通費	円
宿泊費	円
現地交通費	円
食費	円
	円
	円
入場料	円
おみやげ	円
その他	円
	円
合計	円

旅の行程

/47

AM

PM

年

月

日
〜

日

行った場所

泊まった場所

食べたもの

買ったもの

今回の旅で遣ったお金

交通費	円
宿泊費	円
現地交通費	円
食費	円
	円
	円
入場料	円
おみやげ	円
その他	円
	円
合計	円

旅の行程

/47

AM

PM

年

月

日

〜

日

行った場所

泊まった場所

食べたもの

買ったもの

今回の旅で遣ったお金

交通費	円
宿泊費	円
現地交通費	円
食費	円
	円
	円
入場料	円
おみやげ	円
その他	円
	円
合計	円

旅の行程

/47

AM

PM

年

月

日

〜

日

行った場所

泊まった場所

食べたもの

買ったもの

今回の旅で遣ったお金

交通費	円
宿泊費	円
現地交通費	円
食費	円
	円
	円
入場料	円
おみやげ	円
その他	円
	円
合計	円

旅の行程

AM

PM

年 月 日〜 日

行った場所

泊まった場所

食べたもの

買ったもの

今回の旅で遣ったお金

交通費	円
宿泊費	円
現地交通費	円
食費	円
	円
	円
入場料	円
おみやげ	円
その他	円
	円
合計	円

旅の行程

／47

AM

PM

年　月　日～　日

行った場所

泊まった場所

食べたもの

買ったもの

今回の旅で遣ったお金

交通費	円
宿泊費	円
現地交通費	円
食費	円
	円
	円
入場料	円
おみやげ	円
その他	円
	円
合計	円

旅の行程

/47

AM

PM

年 月 日 〜 日

行った場所

泊まった場所

食べたもの

買ったもの

今回の旅で遣ったお金

交通費	円
宿泊費	円
現地交通費	円
食費	円
	円
	円
入場料	円
おみやげ	円
その他	円
	円
合計	円

旅の行程

/47

AM

PM

年
月
日
～
日

行った場所

泊まった場所

食べたもの

買ったもの

今回の旅で遣ったお金

交通費	円
宿泊費	円
現地交通費	円
食費	円
	円
	円
入場料	円
おみやげ	円
その他	円
	円
合計	円

旅の行程

/47

AM

PM

年

月

日
〜

日

行った場所

泊まった場所

食べたもの

買ったもの

今回の旅で遣ったお金

交通費	円
宿泊費	円
現地交通費	円
食費	円
	円
	円
入場料	円
おみやげ	円
その他	円
	円
合計	円

MEMO

旅《たび》ノート
47都《と》道《どう》府《ふ》県《けん》 ぜんぶ行《い》ってみよう

旅《たび》のお供《とも》編集部《へんしゅうぶ》

令和5年12月25日　初版発行

発行人——石原正康
編集人——高部真人
発行所——株式会社幻冬舎
〒151-0051東京都渋谷区千駄ヶ谷4-9-7
電話　03(5411)6222(営業)
　　　03(5411)6211(編集)
公式HP　https://www.gentosha.co.jp/
印刷・製本—株式会社　光邦
装丁者——高橋雅之

幻冬舎文庫

ISBN978-4-344-43326-7　C0195　　た-69-1

この本に関するご意見・ご感想は、下記アンケートフォームからお寄せください。
https://www.gentosha.co.jp/e/